男女ㄑㄧㄠㄑㄧㄠ板

第12巻

津田雅美

目次

ACT54★BORN

葡萄乾奶油餅乾。

我最愛吃的甜點。

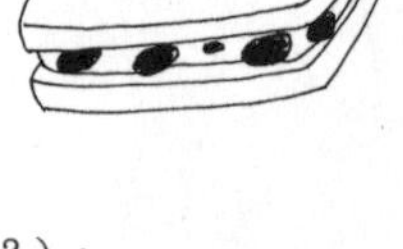

我喜歡金塊形餅乾或烤甜點。

在台灣簽名會時，讀者送我的點心非常好吃哦！下次要去買！

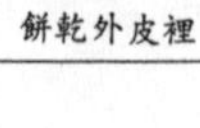

餅乾外皮裡，包著鳳梨餡（？）。

我喜歡上了繼父的女兒，
也就是我姐姐…
我知道自己不再是小孩，
但也沒成熟到能若無其事地繼續住在一起。
一進門就聞到，快讓人喘不過氣了！
一馬，我們來搞3P吧！
沒品的傢伙！
卡磅！
喀！
最臭的人是你。
這裡快變成「homo之館」了！
你回來啦。
聽不懂3P是什麼意思。
阿潮他們沒有追究原因，對我說「想住多久就住多久」。
後來，我開始在JOKER工作的店打工。
卡啦啦
歡迎光臨！
愛工作。

咦——你們店裡來了個可愛的男生啊…
他叫一馬。
染金髮，好可愛
這家店，很有成人氣氛…
哇！JOKER你煮的咖啡，真的好好喝哦！
味道和一般咖啡完全不同！
呵呵…
對吧？
暑假結束…

喂，我是芝姬。
媽⋯
嗨——離家出走的兒子。
對不起，打到醫院⋯
沒關係，什麼事？
我想離開家裡一陣子，
學校那邊，也想請假一段日子。

嗯
我猜得到你為什麼不想回來…
你的心情，我也不是不能體會。
呃？
媽，妳也知道我喜歡小翼嗎？敦矢他們也一下就猜到了，為什麼！
孩子，媽媽很忙…
總之，我相信你自己的決定，既然這是你仔細考慮之後的結論，我不反對。
謝謝媽。
學校不唸沒關係，反正憑你的頭腦，上不上學，成績都差不多…
……
只是，偶爾要打電話連絡啊…
嗯…
那我要去忙了，掛掉囉…

他說離開家是什麼意思？
不知道，我看他好像也在想一些事情⋯⋯
⋯⋯
他果然還是選擇「音樂」！
喀鏘！
一馬那個笨蛋！
他想怎樣，就隨他去吧！

1

大家好！
這是我的第16本單行本。正如我答應的，三個月就出一本了喲！速度就像少年週刊一樣…好高興。

呀♡

11、12集的故事是同一組的，能馬上出版，真是太好了。

呼。—3

叭噠 叭噠
小翼還不懂事…我很同情一馬。
其實，我之前就想過會變成這樣了。
嗯——
我是不擔心一馬，因為他健壯的身體是我生的，
只是小翼她…

我是做護士的，
頭一次在醫院看到她時，我就覺得她是個處於絕望邊緣的女孩。
彷彿用盡全身的力氣，拒絕長大，
讓人很放心不下。
不過我馬上就發現，一馬很適合和她在一起。
由我這個媽媽來說是有點怪，不過一馬有種能治癒人心的特質。

我和你，都曾讓自己的孩子吃過苦，
所以我希望他們兩個幸福…
妳一向獨立自主，是因為看到我們父女倆太缺乏照顧，才和我結婚的吧…
對不起，我的生命力太弱了…
不…這也是一種魅力。

一馬是大笨蛋！
竟然選擇了「音樂」而不要我！

喀
ガしゃん
※喀鏘！
嗚～～～～

一馬…

一馬…
你會忘了我嗎？
我是不是沒用的孩子？
爸爸、有馬、一馬，都不願和我在一起。

再去找別人
好了…
直到有人
選擇我為止。

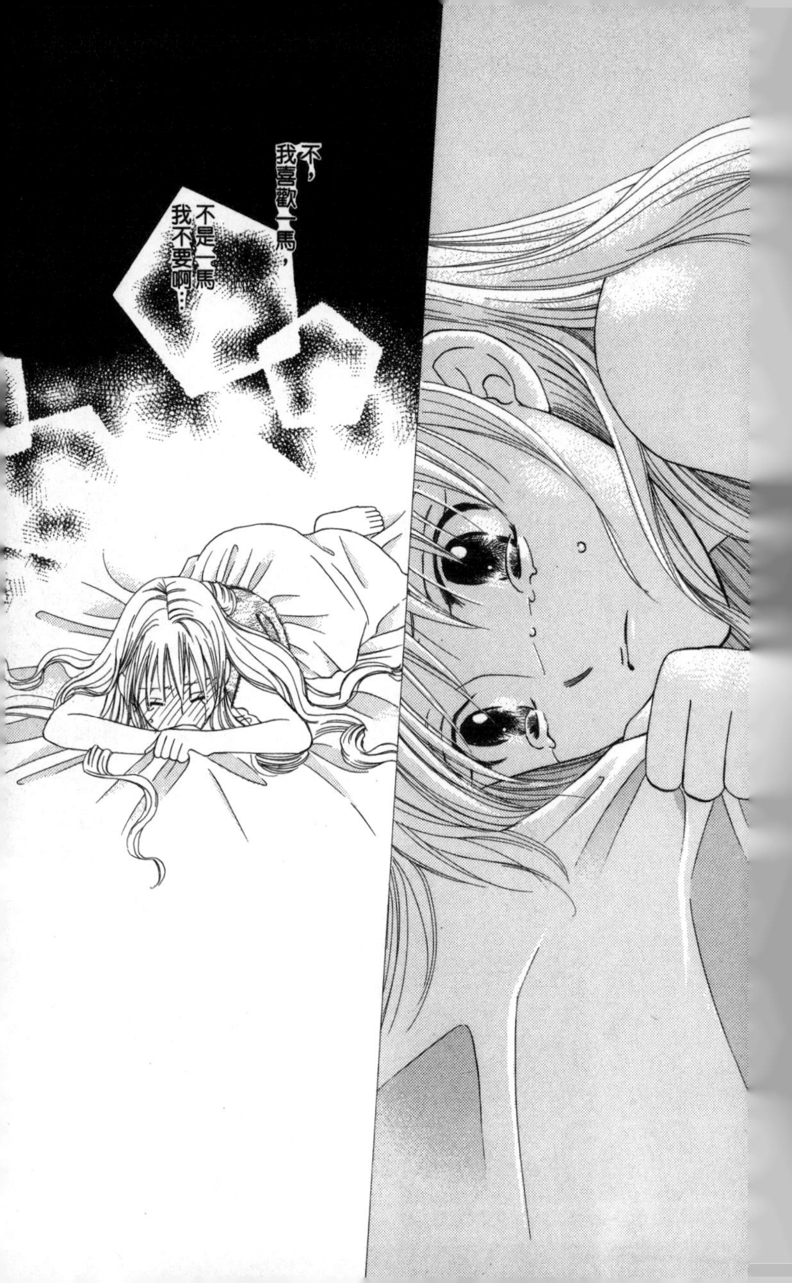
不，我喜歡一馬，
不是一馬我不要啊……

嗚…嗚…
嗚嗚…
呼—
ぐがががが
※鼾聲大作
卡答

慢慢爬過來
倒下

我出門了。
嗯——好好打工啊。
我功課都沒寫呢。
我一定傷害了小翼。

我喜歡她。
小翼像緊閉的花苞，不想長大……
她不會再相信曾經兩次傷害自己的「愛情」。
她選擇我是因為我們是「姐弟」，
她好不容易才在「姐弟」這安定的關係中，找到可以放心歇息的地方。

光是姐弟關係
還不能讓她幸福！

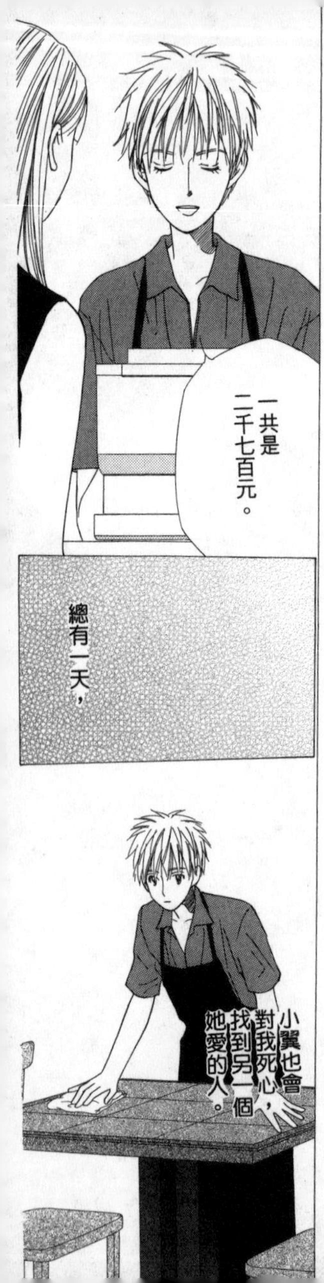
一共是
二千七百元。
總有一天，
小翼也會
對我死心，
找到另一個
她愛的人。

一馬怎麼都不來上學？
打電話也找不到人。
搞不好他要休學，專心唱歌。
啊好寂寞哦
這麼一來，我要把這份情感徹底放棄，
回到「姐弟」關係吧…那樣子比較好…
歹勢，還讓你洗衣服。
我喜歡做啊。
4點在練團室集合，我有事，先出門了。
好。
那樣子比較好…

嗶—啵—
吵雜
嗶—嗶—啵—
吵雜
吵雜
我在青山那家店啊…
新歌聽了嗎？

嗶嚕嚕嚕
啊…喂——
啊——我不知道這回事啊…
今天去哪？
那個女生啊——
吵雜
吵雜
吵雜
……
本週的前三名是…
咚
咚
咚
嗶嚕嚕嚕
好貨便宜賣！
哇啦啦
MILD SEVEN
MILD SEVEN

入学受付
OAスクール
VIA OHI

「音樂」…
咚
將我包圍…
怎麼呆站在這種地方？
咦…
那個人…
他怎麼了？
帶給我安慰，
——謝謝。

喂，一馬你遲到囉—
我要罰你…
親一個♡
一馬？
你怎、怎…
怎麼了!!
曲子…
我做出曲子來了，
你們幫我聽聽看。

嘎恰
好，你唱。

這一天開始，
我的人生開始
改變。

ACT54★BORN／完

男女♥くくく玄玄玄板
ACT 55★YIN AND YANG

我的心中，
有兩種不同
種類的愛。

對「音樂」的愛，
和對小翼的愛。

不論選擇哪一種，
我的心都會死去…

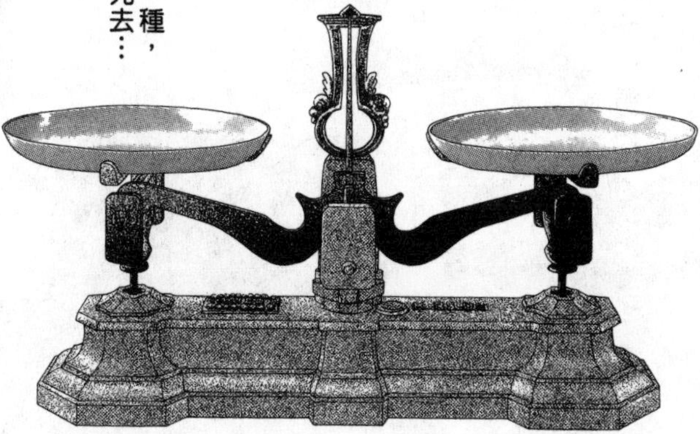

Wedgwood的
Wild strawberry。

明明覺得不怎麼好
看，買了它的馬克
杯後，就覺得好可
愛。

我房間的時鐘也是
wild strawberry哦。

九月某日
接下來是『陰陽』哦。
好熱
今天夏天，他們的知名度急速上升呢…
不過這裡，人真是超多的！
會不會擠死人啊？
『陰陽』！
JOKER
『陰陽』！
『陰陽』！
『陰陽』！
『陰陽』！

陰陽
差不多該出去了…
陰陽
這是我第一次期待演唱會開始，急著要上台，好想趕快讓觀眾看到現在的你。

※哇啊啊!

Ready with the Guuuuns
YAMA

這是什麼……

感覺好像……快瘋了一樣……

ドヨ
呼
呼
──最後，
是一首新歌，

我明白了一件事…

原來「愛」和「音樂」，並不是很狹隘的，只能兩者取其一不可。
「音樂」是吸收了名為愛的水，所開出的花朵。
而「愛」則化成了音樂，由身體傳達出來。
所以，我不再迷惘…

對妳的愛、友情、
慈悲、憧憬、瘋狂、
憐憫、不安以及慾望，
對上天讓妳降臨在世上的感謝之
心，與期盼妳過得幸福的…
願望…

將這些心情，
都化成歌吧…
除了這麼做，
我別無他法…

不需要彈吉他。
嗯……真是首好歌……
好感人……雞皮疙瘩全都起來了……
一直覺得他很有某方面的潛能，沒想到進步這麼多。

陰陽——
這天的演唱會，直到幾年後，仍為人津津樂道。
陰陽——
陰陽——
這天，唱片公司、電台的製作人和ＤＪ都來到會場，
我們不會隨便亂用的！
經過交涉後，
「陰陽」的音樂宣傳帶，

第二天起在大街小巷播放。
咦？
這聲音⋯⋯
你不覺得這首歌很棒嗎？
STARBUCKS

2

前一陣子
把一部叫
『男女ㄑㄠㄑㄠ板』
的漫畫從頭看
過一遍。

（看自己的漫
畫，會發現盡
是缺點，感覺
很不好…）

第1集是六年
前畫的，所以
看了實在…

有些讀者倒
是喜歡剛開
始的畫風。

我覺得很丟
臉。

『陰陽』的知名度已經遍及全國，市場需求也急速增加。
如果我們像過去那樣堅持保留地下樂團的自由，不成為職業樂團，
也不和大唱片公司訂契約的話，在CD推廣流通上，恐怕有困難。
對方也提出很好的條件。
很好啊！阿潮你的決定不會錯的。
贊成──！
夏威夷旅行的夢想愈來愈近了…
我要休學。
我已經決定要做什麼事了。

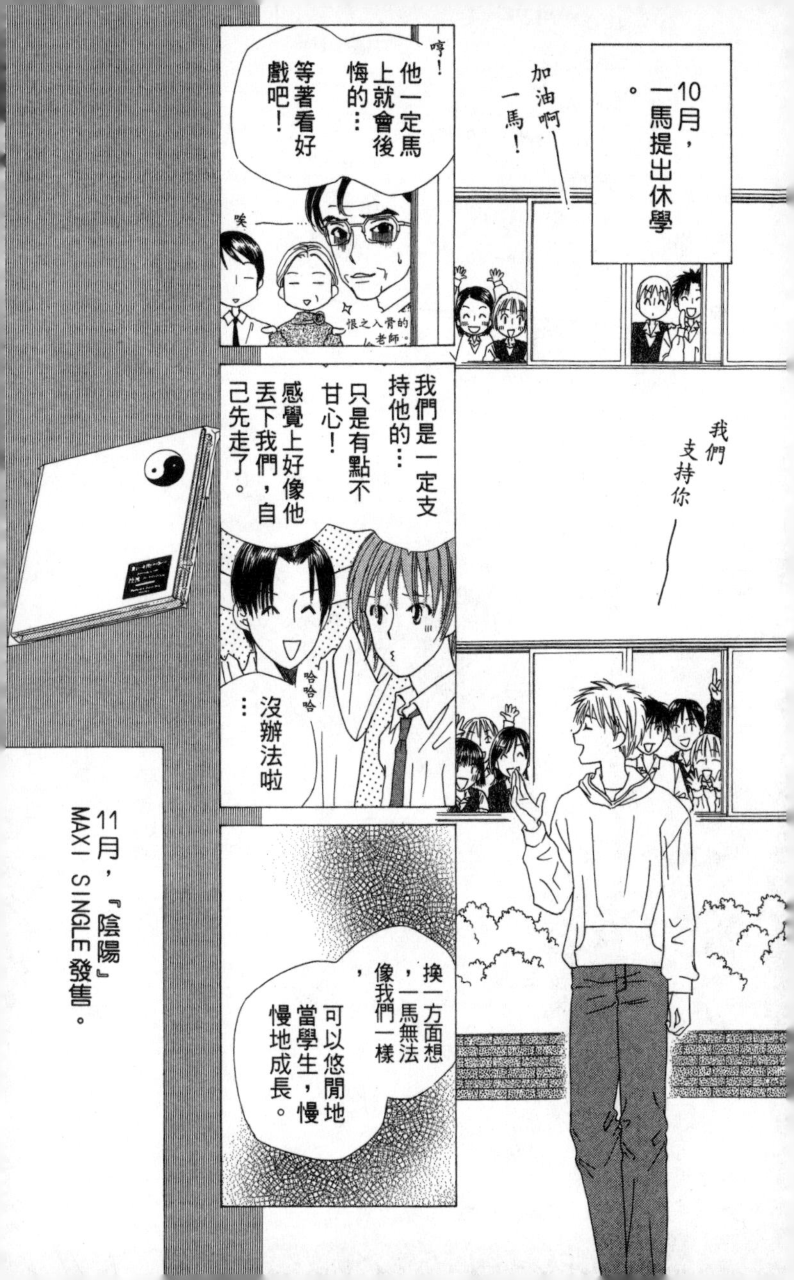
10月，一馬提出休學。
加油啊一馬！
哼！
他一定馬上就會後悔的……等著看好戲吧！
唉——……
恨之入骨的老師。
我們支持你——
我們是一定支持他的……只是有點不甘心！感覺上好像他丟下我們，自己先走了。
哈哈哈
沒辦法啦……
換一方面想，一馬無法像我們一樣，可以悠閒地當學生，慢慢地成長。
11月，「陰陽」MAXI SINGLE發售。

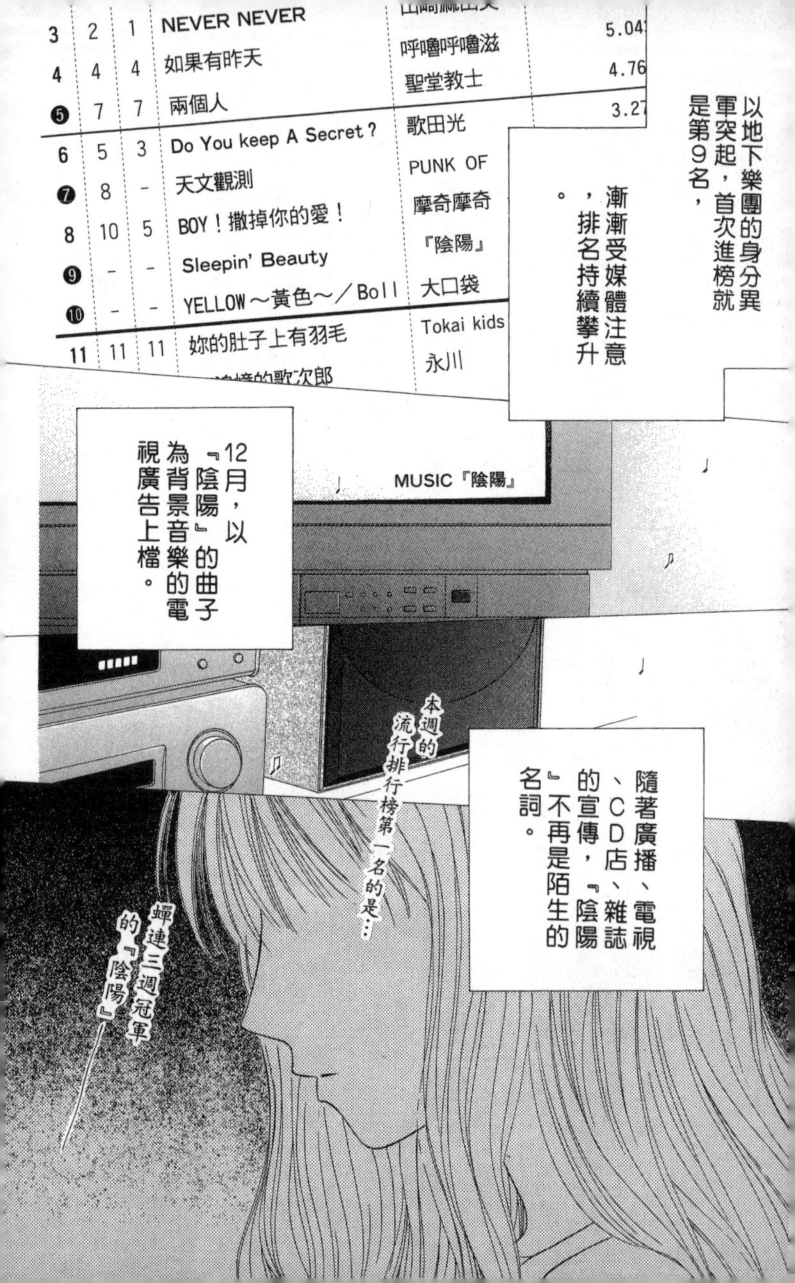
3 2 1 NEVER NEVER 5.04
4 4 4 如果有昨天 呼嚕呼嚕滋 4.76
5 7 7 兩個人 聖堂教士 3.27
6 5 3 Do You keep A Secret? 歌田光
7 8 - 天文觀測 PUNK OF
8 10 5 BOY！撤掉你的愛！ 摩奇摩奇
9 - - Sleepin' Beauty 『陰陽』
10 - - YELLOW～黃色～／Boll 大口袋
11 11 11 妳的肚子上有羽毛 Tokai kids
永川
以地下樂團的身分異軍突起，首次進榜就是第9名，
漸漸受媒體注意，排名持續攀升。
MUSIC『陰陽』
12月，以『陰陽』的曲子為背景音樂的電視廣告上檔。
隨著廣播、電視、CD店、雜誌的宣傳，『陰陽』不再是陌生的名詞。
本週的流行排行榜第一名的是……
蟬連三週冠軍的『陰陽』

滋
誰要聽啊！

カチャ
咦？
關掉。
快把電視關掉啦！
MUSIC『陰陽』
嗶
飯不吃了嗎？
啊……對…對不起。
不吃了。

がたん
バウー！
ばん
…………

我好怕……
好怕一馬離我遠去。

小翼這陣子都不太吃飯，學校也常常請假…
我已經盡量陪她了…
……
我們能幫她什麼忙嗎？
那是心理的問題…
對於想治病的人，醫生可以盡量提供幫助，
但以她現在的情況，不管我們說什麼，都只會讓她更痛苦。
一馬愈來愈成熟，但是小翼拒絕長大，所以不知怎麼面對他。

我出門了…
啾… 啾啾啾…
咦…小翼？
妳要去上學啊？早餐呢？
哈哈哈！
哎呀，今天是平常天，我要上學！
我肚子不餓，所以不吃了。
我今天起向醫院請一陣子假，妳就待在家如何？
ぱた ぱた
走啦—
ばたん

卡嘰卡嘰卡嘰
小翼，
學校廣播也一直在放他們的歌呢。
放什麼？
『陰陽』的歌啊…
……有人在放音樂嗎？
啊？放得很大聲耶！
我什麼都沒聽到啊。

我沒聽到任何聲音啊⋯
ACT55★YIN AND YANG／完

男♥女くㄠくㄠ板
ACT 56★TSUBASA

雪野！
『陰陽』終於要辦全國巡迴演唱了！
一談到『陰陽』就興緻勃勃的人。
？
「——」
在她面前最好別提起『陰陽』的事…
『陰陽』的歌。
聽了許多地下樂團的音樂，中意的曲子都是用英文唱的，所以也把『陰陽』設定成用英文演唱的團體。
一馬用日文寫的詞，由阿潮哥或Joker翻成英文。
I wanna be。
哎咿哇那事。

有馬，小翼的媽媽是護士對不對。
是啊。
怎麼？
這樣啊……
謝謝妳特地打電話來。

叩叩叩☆
小翼，我可以進來嗎？
卡恰
要不要吃晚飯？
我不想吃。
我有話跟妳說。
好瘦弱…

寒假就快來了，你爸爸提議去國外旅行。
我們三個？
對。
聽起來很好玩的樣子，
嗯，我要去。
……現在能做的，只有將她帶離現在的環境。

3

這陣子很講究的東西是。

『豆腐』

竹簍豆腐。

一份五百元(！)
不過軟軟甜甜
好好吃哦…

買塊好豆腐，把水份瀝掉，加上蕃茄和裙帶菜做成沙拉，淋上芝麻醬油再吃，味道很棒！

在箱根吃的豆腐，滑嫩軟綿綿的。

但這並不是根本的解決之道，
只要她一天拒絕「成長」，情況就一天無法改善。
『陰陽』的CD以破記錄的好評氣勢，持續狂賣。
au by KDDI
SHIBUYA 109

ザワ
CROSS
ザワ
ザワ
今年最後一次大降價！
109
我什麼都感覺不到。

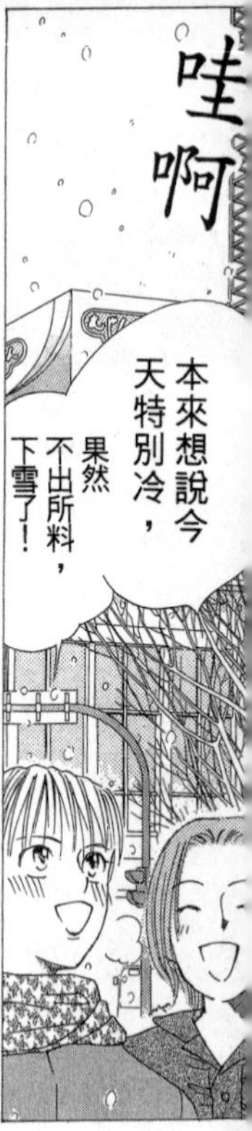
哇啊
本來想說今天特別冷，
果然不出所料，下雪了！

為什麼全都變成白色，

消失不見了呢？

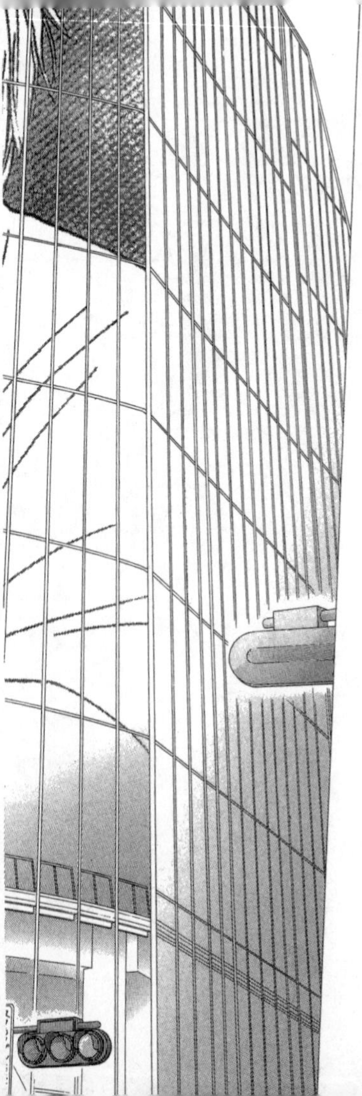

tsu
ス
渋谷駅前

『陰陽』終於以真面目出現了！
原來『陰陽』是長這樣子啊！
一馬好可愛哦！
一馬好像變得更有男人味了？
雖然不希望他現身，保持神祕感。
但還是想看他的演唱會畫面啊！
阿潮好帥哦！
這首歌真讓人感動啊！
『陰陽』的聲音，很飽滿厚實…
我一定要去聽他們現場演唱！
一馬那麼瘦，哪來那麼具爆發力的嗓音？
馬丁好美形哦！

ドクン ドクン
ドクン ドクン
啊…
小姐，妳怎麼了？

嗶—啵—
嗶—啵—
怎麼了?
手機快拿出來!
來人!快去叫救護車!

咻！
啊…等一下…晚上不能探病哦。
啊…沒關係。
你是池田的兒子吧…
我聽她提起過你，請進。
她在301號房。

謝謝妳。
301

……小翼瘦了。
さら…

一馬！

一馬！
一馬……
一馬……
你為什麼消失了？
這陣子我好寂寞哦！
你是不是討厭我了？
我願意改成你要的樣子。
我不要你離開！

就算你把「音樂」放在第一位也沒關係，求求你別把我丟下！
對不起…
對不起，小翼…
我沒想到妳會痛苦到這個地步。
我不是棄妳不顧，
也沒有討厭妳，
現在和以後，妳都是我最喜歡的。

我愛妳。

……
——
……
因為這樣，我才離開家的。
你早說就好了呀……
我會跟你交往的。
這樣，就可以一直待在你身邊啦。
我就知道妳會這麼說。

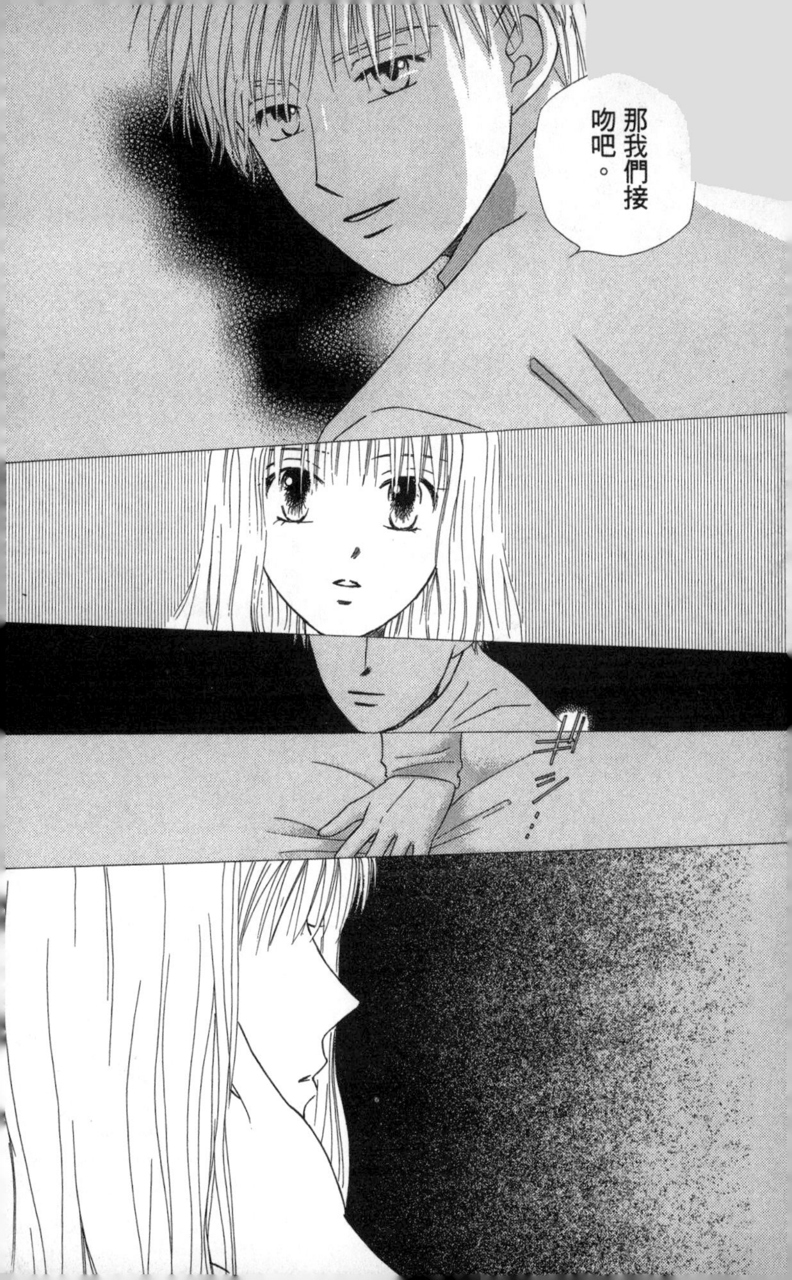
那我們接吻吧。
ギシ…

不…

我知道，對妳而言，我不是可以令妳存有戀愛感覺的「男人」，所以妳才會這麼信任我。
所以，我一直不敢向妳告白。
對不起，我喜歡上妳了。

明知道妳只是把我當做「理想中的弟弟」，
明知道妳不想談「戀愛」。
可是我從不後悔，我不是隨便說說的。
因為我對妳的心意，是一塵不染的，美麗的。
我和我寫的歌，都屬於妳。

小翼，
幾年後也沒關係，不管多久，我都會等，
可以真心喜歡我嗎？

既然妳把我看得很重要的話。

チキチ・・
ピルルル・・

早安，小翼！
我拿早餐來了。
今天吃得下飯嗎？
一馬在……
短短的時間內變成了「男人」。
「男人」和「戀愛」，
都令我「害怕」。

因為總有一天也
都會離開我。
かちゃ
小翼？
ぱく
もぐもぐ
ごっくん
很好～

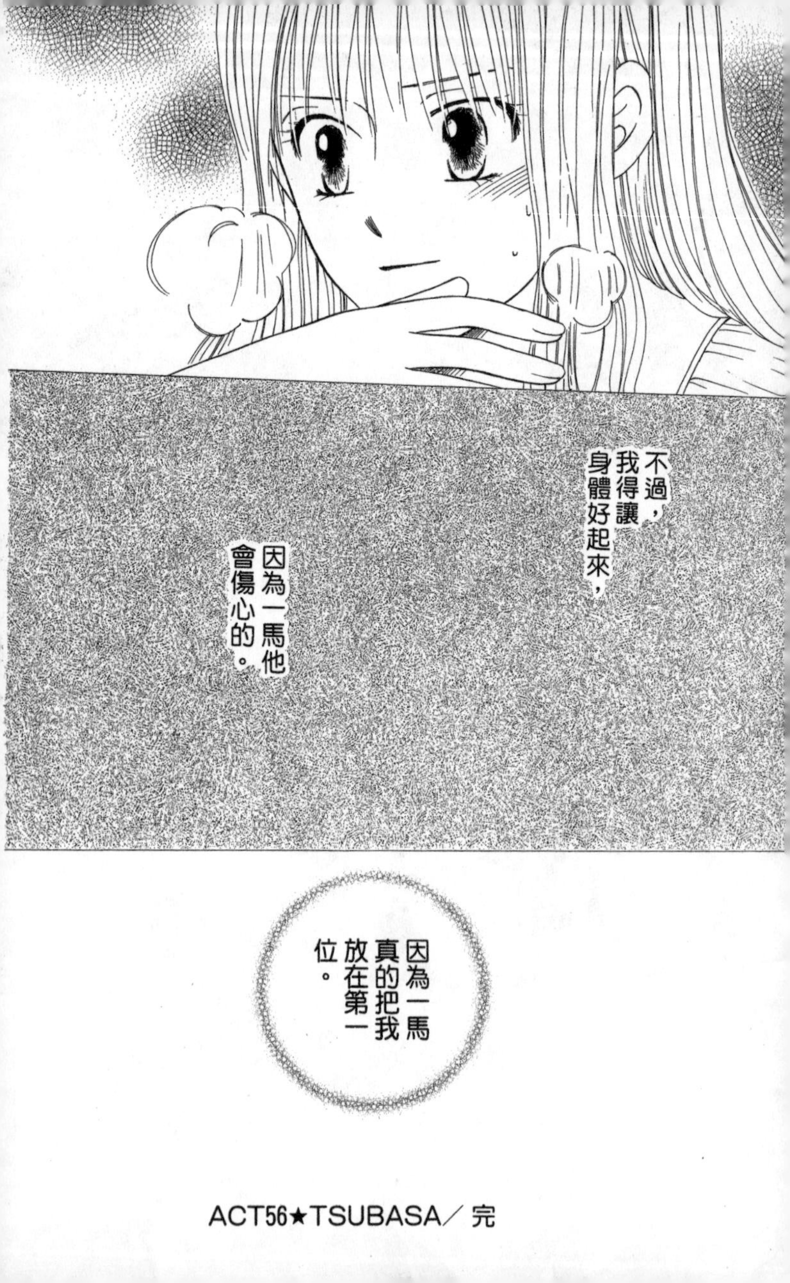
不過，我得讓身體好起來，
因為一馬他會傷心的。
因為一馬真的把我放在第一位。
ACT56★TSUBASA／完

男女♥幺幺板
ACT57★YOU LIGHT UP MY LIFE

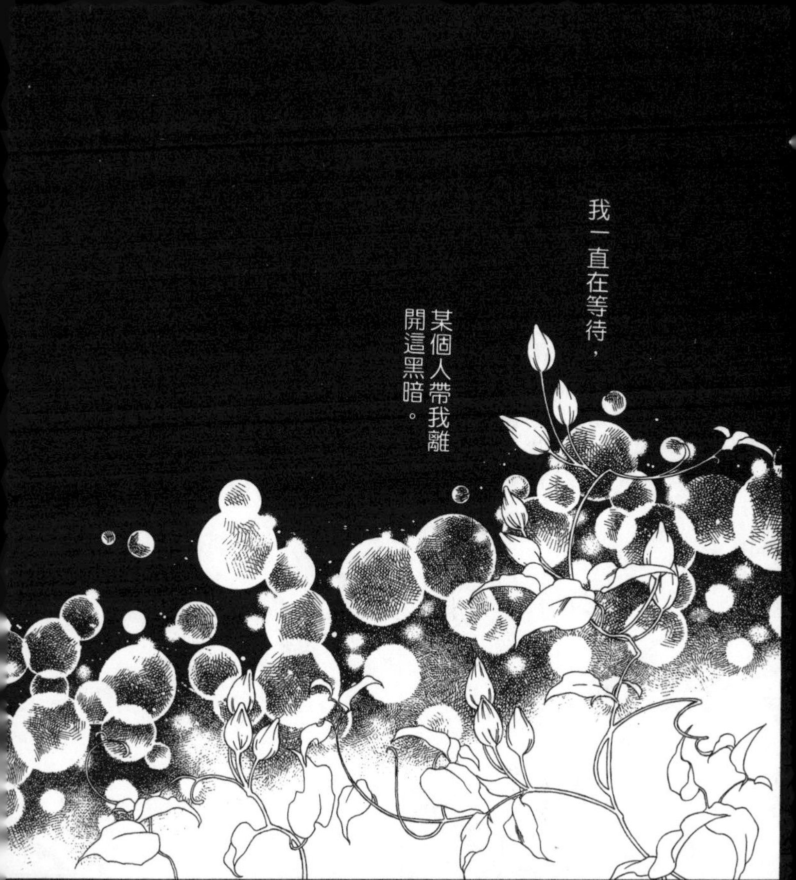

在作品中
使用的曲子。

・『YOU LIGHT UP MY LIFE』

我手上擁有的是「Voices」專輯中收錄的版本。在畫這一回故事時聽到，就愛上了這首好歌，看過翻譯後，發現和我構思中的結局很搭，於是請業者允許我用在故事裡。
我覺得實際上存在的曲子，在某個機會中聽到時，腦中的想像比較會成形。
去CD店的療傷音樂區找，就找得到這首曲子。
供作參考。

・『挑發∞』

是陰陽在ACT50唱的歌。
各位，
去聽澀柿子隊的歌吧！
我聽了就會很有精神！

——一月——
咦…小翼，妳還沒回去啊？我要回去了。
HMV
日曜·休日
12-17

4th ALBUM
4月中旬 發表!!
『陰陽』
現在看到他們，也不會痛苦了。
我愛妳。
他們已經要發專輯了啊……
因為要在春天開演唱會。
小翼，妳現在聽得到『陰陽』的歌嗎？

不…
我聽不到。
進入第3學期。
身體也恢復了，每天過著正常的生活。
自從那天後，就一直沒跟他見面。

突然聽到他這麼說，
一時之間不知所措。
以前就算喜歡一個人，但我總是不被接受。
與其說無法喜歡上一馬，
不如說我沒辦法喜歡上「戀愛」。
因為那是很痛苦的事。

我的體內有個「房間」，
我的心一直都在房間裡，只要待在裡面，就不會寂寞，也不會受傷害。
最近我漸漸明白，
我喜歡爸爸跟有馬，
是因為他們的心中也有「房間」。
曾期盼他們接受我，
可是他們都選擇了別人，打開房門，離我遠去。
我好痛苦，
曾經想永遠在房間裡沈睡。

就在那時，
一馬出現了。
他的心中也
有個「房間」，
可是那房間
一望無際，
非常寬廣。
頭一次
被人接受，
在他的房間裡，
我可以得到自由。

長著自由的翅膀，
一馬的心，
心境永遠
不會衰老，
永遠保持
少年的清新。
所以，
我一直以為我們能
保持「姐弟」關係，
活在幸福的兩人世界裡。
可是…

「戀愛」連我好不容易找到的「弟弟」都奪走了。
我的希望總是被粉碎，
我害怕再去相信，
害怕去相信「戀愛」。

——二月——
啊…是一馬♡
看呆——
好帥…♡
……
啊!
寒氣從背後傳來。
ギクッ

哇~~~~小翼!
對不起~~~~我、我馬上關掉!
什麼嘛!讓人家煩惱那麼久,
卻連通電話都不打來!
手忙腳亂
慌張
啪答—
噠噠噠噠
ばち—ん!
※丟下去!
既然「音樂」這麼重要,就不用回來啦!
呀—
……
她怎麼會這樣?
噗通噗通
嚇得心兒碰碰跳

翼…
小翼！
哈哈哈！等一下，再來一次。

卡恰
啪答
噠噠噠噠噠噠
趴下
有一馬的味道。

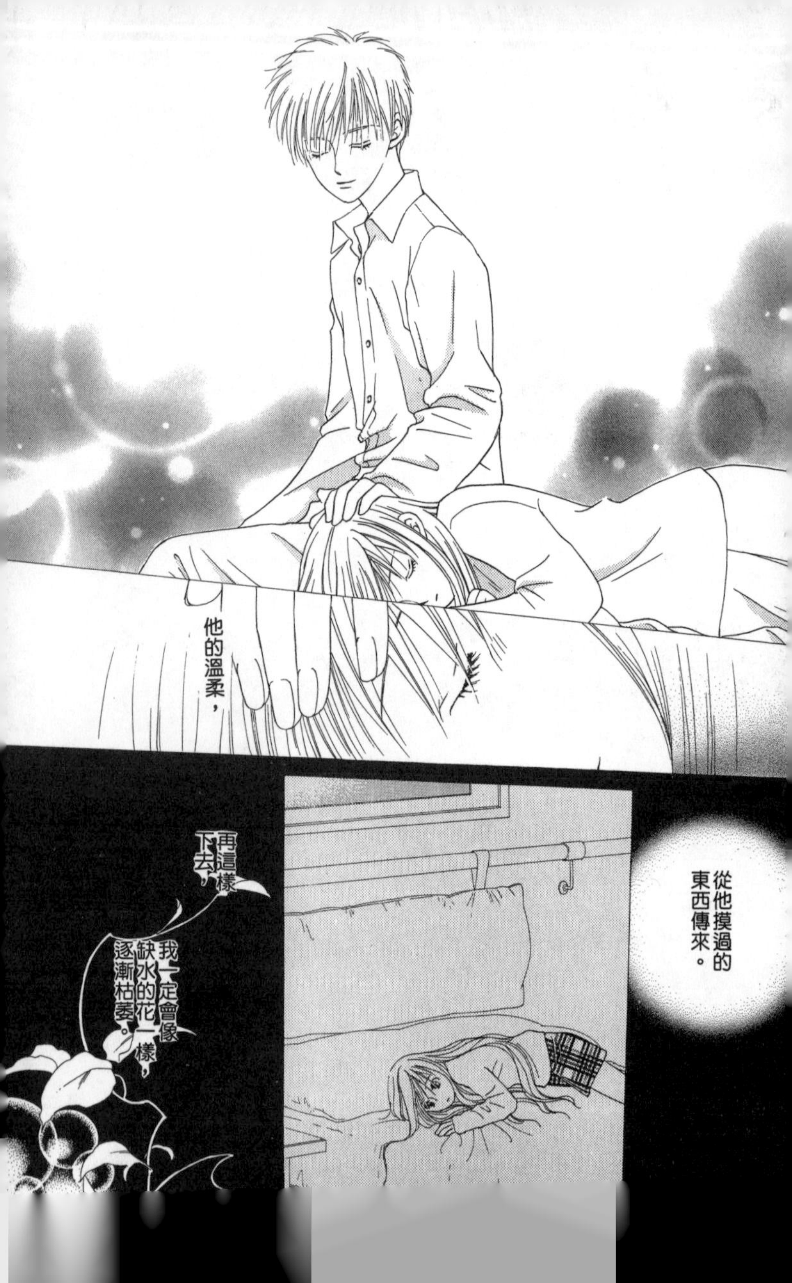
他的溫柔，
從他摸過的東西傳來。
再這樣下去，
我一定會像缺水的花一樣，逐漸枯萎。

他真的只是我的「弟弟」而已嗎？
水、
氧氣、
光、
風、
綠色植物…
他也像這世界所有美好的東西一般。

——三月——
鏘卡
鏘卡
小翼！好難得哦，妳在聽什麼？
拍
『陰陽』。
什麼？
妳現在聽得到啦！
完全聽不到。
妳說什麼？
這陣子我很好奇，
像一馬這種人會唱什麼歌。
鏘卡
鏘卡
鏘卡
唔
就算回想以前聽得到的時候，也不太記得了…

看歌詞也全是英文。
我英語成績只有「2」，讀起來太吃力了…
我幫妳翻吧？
不，我自己想辦法。
不過，妳積極的想聽他的歌，這是好事呢。
感覺就像一馬本人啊…
其實他有極高尚的靈魂呢…
我問妳，
一馬的歌是什麼感覺？
平常有很多羞於表現，而藏起來的想法，
現在全都在歌裡得到解放，鮮明豐富的感情波動，很能擄獲聽眾的心。

希望有一天聽得見他的歌。
以前從不會想到這種事，
現在坦然地面對，感覺非常自在。
奇怪，不會像以前那麼寂寞了…
雖然分隔兩地，
但只要一想到他，心就像燈亮了一樣。

可是，他怎麼都不打電話來呢？
※失落
卡答
芝姫 翼小姐
芝姫 一馬
芝姫 翼小姐
小翼？
どだだだだ
※咚噠躂噠噠
呼 呼 呼
『陰 陽』
"與『陰陽』共赴微笑的120天巡迴演唱會"
200Ｘ年 5月3日（週五）
日本武道館
開場 17：30 開演18：30
主辦／白泉社／ＬａＬａ編輯部
企劃製作 津田雅美與Ｍ・Ｔ・Ｐ
搖滾 Ｄ1區 5號
好棒！他們要在武道館開唱。
哇——搖滾區第一排中間的位置耶！
雖然我們沒吵架。
一馬真是的，打算在演唱會跟我和好呢。

翼
『YIN AND YANG』
我並不覺得，
那是獻給我的專輯。
啪哩 啪哩
嗶
TRACK NO
01 0:02
放心…

※咚咚！
一馬！
為什麼以前都把心封閉起來，
不去傾聽他的歌呢？
原來一馬一直就在我身旁。
compact disck player
TRACK NO
05 0:00

這曲子，好像在哪聽過……
只有這首是翻唱西洋歌，
為什麼呢？
啪啦 啪啦
無數的夜晚，我一個人在窗邊渡過，
一面等待那個願意在我身旁唱歌的人出現，
一面將無數的夢想，隱藏在內心深處。
我的愛沈寂在黑暗已久。
但有一天，你出現了。

曾經我被波浪拍打，四處漂流，
但是，安定的那一刻終於到來。
我不再孤單。
Gmaj7 G7 E7
my life you give me hope
Am D7
on You light up my days and fill my
Em Am
你照亮我的人生，
你賜予我未來希望。

你照亮了我的人生。
為我的每天帶來希望，
用歌唱填滿夜晚的空虛。

啊…

妳的孤獨，
妳的悲傷，
我全都會包容。
這麼明確的感覺，不可能錯的，
因為你照亮了我的心。
我終於明白了…

一切的痛苦…
和難過，
全都溫柔地包容，
愛就是這麼地寬廣豐富。

太…太好了~~~
我買到『陰陽』武道館演唱會的票了~~~
經過激烈的門票爭奪戰。
『陰　陽』
〝與『陰陽』共赴微笑的120天巡迴演唱會〞
主辦／白泉社／ＬａＬａ編輯部
企劃製作　津田雅美與Ｍ・Ｔ・Ｐ
日本武道館
200Ｘ年　5月3日（週五）　開演　18：30
開場　17：30
看台2樓
全指定席
$5,500
【含消費稅】
東南T列22號。
哈哈哈！
不過位置差一點…
沒辦法啊…
我拿到搖滾區的票哦。
小翼。
きょっ

笑
轉身
真期待演唱會！
呆掉…
於是…

5月3日，
『陰陽』首次的全國縱貫巡迴演唱會〃與『陰陽』共赴微笑的120天巡迴演唱會200X〃in日本武道館。
武道館

唉～～～
怎麼啦，待會就是演唱會了耶…
我寄票給小翼了，
她會來嗎？
不安
情緒這麼低落
囉嗦！混帳東西！竟然以她的名字做為專輯名稱！
管你去死！
我們又不是為了你做音樂！
才不是呢！（其實是…）這是經過多數表決的！
上台前別吵架嘛…
『陰陽』，麻煩你們就位！

吵雜
加油啊~
吵雜
吵雜
吵雜
頭一次看兒子的演唱會。
興奮期待
噗通噗通
吵雜
我比較喜歡古典音樂。
※哇啊啊啊!
わあああ

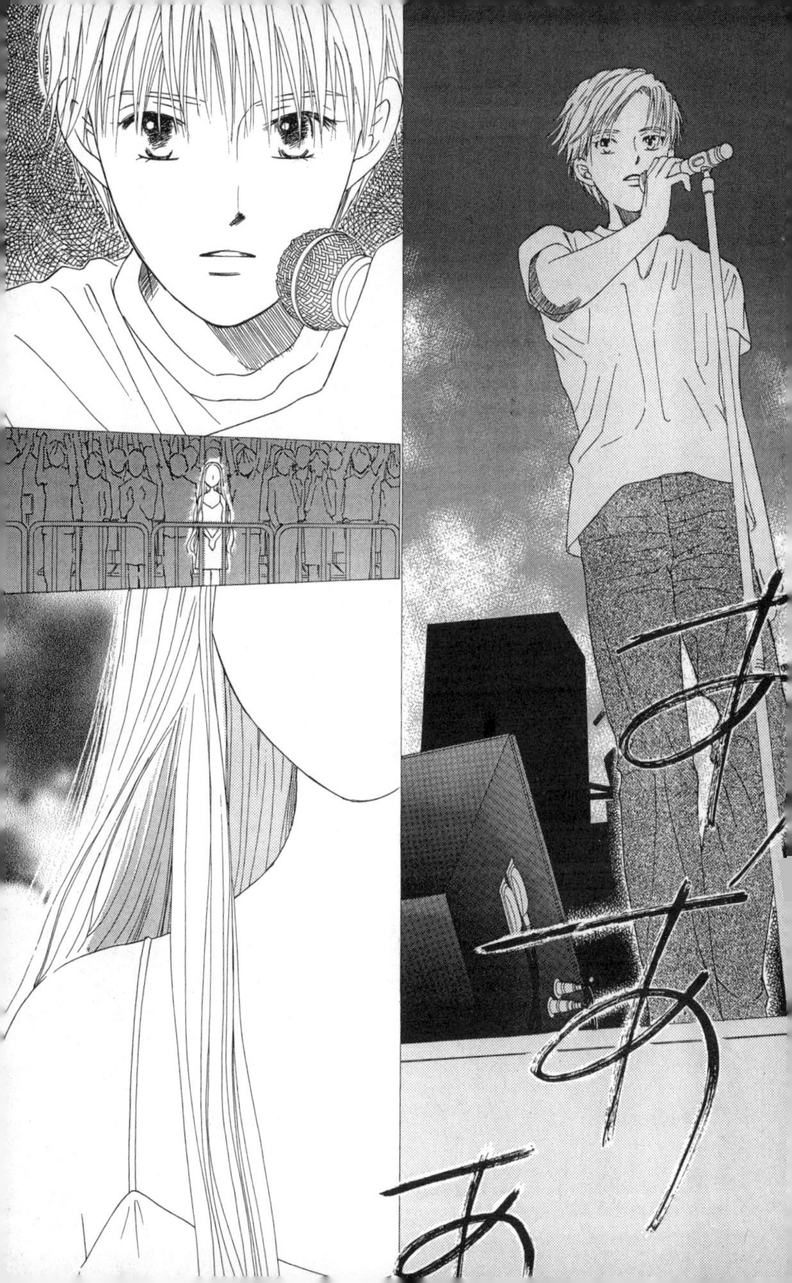
あああ

※哇啊啊——

4

津田我曾說，
只要有日本溫
泉泡就很好了
，但無意間，
心中湧起出國
的興緻。

我想去很多國
家，覺得要先
把英語學好，
明年決定要用
功學。

站前英語
會話班。

現在津田心中
，不知是美國
人或英國人。

是個吃奶的孩子。

國中高中學的，
都忘的一乾二淨。

-Ending-
啊——好久沒回家了!
離家出走的兒子,你回來啦。
你好像每天都很忙嘛。
是啊,好久沒休假了。
一馬,我幫你拿行李。
啊…不…
沒…沒…關係啦,東西很重。

扭扭
怩怩
真可笑，懶得陪童星談戀愛。
怎麼這麼說呢。

拉
小翼…
發生了這麼多事，很高興我們還能見面。
嗯。
還有…
謝謝你喜歡我。
嗯…我也是。
抱緊

好幸福哦。
嗯。
…………
呃…那…那個…小翼啊…
有件事…想拜託妳…
我不會勉強妳…
如果妳覺得可以的話…
不斷出汗
跟…跟我…

跟我結婚！
突然論及婚嫁。
※噴出來
ぶふ
聽到了。

嗯…好啊。
答應。
太好了♡
可是我們有姐弟關係，可以結婚嗎？
呃…
我們的故事，就到此結束。

後來『陰陽』仍持續精采耀人的演唱活動，

漸漸成為世界性的樂團，

不過那是以後的事情。

ACT57★YOU LIGHT UP MY LIFE／完

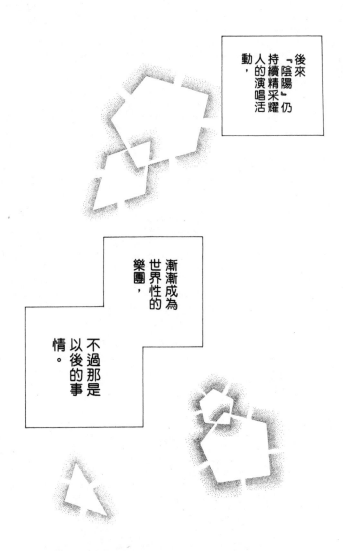

男女ㄠㄠ板
ACT58★理香的生活

我叫
瀨名理香，
縣立北榮高中
二年級，
興趣是
烹飪和裁縫，
未來希望從事
服飾方面的工作。
很精緻的刺繡。

我並不特別引人注意，過著樸素且普通的生活，
以前是這樣，未來一定也是這樣。
圖案非常精密細緻…
對了，我都不知道妳家的事，妳家是怎樣的家庭呢？
嗯—
………………

我家在經營一家頗有氣氛的西餐廳。
蔬菜削完皮了…
辛苦妳啦。
還有什麼要幫忙的嗎？
謝謝，妳可以休息了。
妳做的杯墊和餐墊，客人很喜歡呢。還問說「我願意付錢，可以幫我做嗎？」。
這件圍裙，也是妳做給我的呢。
真的嗎！
每次都麻煩妳，真不好意思。
理香都會幫忙家裡大小事情，真的讓我們輕鬆不少。
不過，只有服務生的工作，不願意做…
客人反應很好說…
哈哈哈！
人家會不好意思嘛…

我還有年紀差蠻多的弟弟和妹妹。
真的啊——和我家一樣嘛!
三姐妹的長女。♡
……
嗯……
?
小世、小牧你們在嗎?
小世（國小3年級）
バタ
理香!
小牧（國小2年級）
バタバタ
你們怎麼啦?
我們在做蛋糕!
嘻嘻嘻
※躂噠噠躂躂

ぐっちゃ〜
※亂七八糟
唉…
這個我來弄，小牧妳還小，做不來的啦。
不要〜〜我要弄啦！
哥哥欺負我！
妳不行的啦！
別吵別吵。
啊…
滑
※倒在頭上
※凍結
FREEZE

不管你們了！
理香！
對不起啦，理香，
妳總是作飯給我們吃，我們想做蛋糕謝謝妳嘛⋯
妳不喜歡我們了嗎？
好可愛哦～～♡
滴落
耶—
我已經不生氣了。
我家的情形跟妳很像。
我們家三個年紀都不同。
他們就像小惡魔一樣⋯
真的？
不過——弟弟妹妹們⋯
畢竟還是很可愛的呢——♡♡♡

啊！
是宮澤學姐
和有馬學長。
難得在高中
找到白馬王子，
結果卻已經
有女朋友了。
而且有馬學長
眼中只有
宮澤學姐…
嘻…
還好宮澤學姐
為人很好，
讓我不致於
太難過。

蓋子打不開…我來開吧…
不…我打得開！
拔開
※咚！
！
咳呃咳！
唔咳！
你還好吧？
咳咳！
還有這種脫線的地方…
嘻嘻嘻…
我的朋友個個是學校的名人。
「雪野」是我們這一群的中心人物，
頭腦極好，辦事能力強，人又好相處，
可是雪野說，她在高中之前都沒有朋友，很不可思議吧？

而有馬，
我和他唸同一所國中，
他也是從國中時起，成績、運動、個性都很好，很受大家崇拜。
有件事我沒告訴過任何人，
其實那時候，我有點怕他。
不過，自從認識了雪野，他就變得很和氣，也常常微笑，現在就不怕他了。
人談了戀愛，都會改變嗎？
呀！♡

淺葉。
呀——淺葉學長！♡
呀——
揮揮手
二年級實在很多美男呢！
可是淺葉學長看起來很會玩的樣子，讓人很難對他付出真心呢。
而且又受女生歡迎。
聽說他從未和我們學校的女生交往過。
咦！這麼說，對方是別校的學生或…大人？
……
雖然大家都說，淺葉外表看起來輕浮，好像很愛玩的樣子，
嗨！瀨名。
但我覺得不完全是那樣的。

我們都選修美術課，
聽說今天要做石膏素描。
畫酒神巴克斯嗎？
我很喜歡他畫的素描，
看起來很纖細。
其實淺葉的內在，比外表敏感多了。
……
「別太過度窺探別人的內心世界哦……」，
他曖昧地笑著。

目前在學妹們心中各佔一片天地的小椿和真秀。
呀——佐倉學姐和井澤學姐一起出現了！
笑
女子排球社的王牌攻擊手 充滿力道的個性和調皮的個性，相當受歡迎"排球網邊的美人"
為什麼是我？
冰山美人 難以接近的美女學姐 有很多地下崇拜者"神秘佳人"
我是佐倉學姐派！
因為她很率性！
我是井澤學姐派！
因為她很酷！
還有不知為什麼，很受學弟們崇拜的十波。
健史學長——
為什麼！！
別過來！
你好帥哦……
你好高哦……
請教我灌籃……
健史！♡
小椿和十波正在交往。
※抱住
哇啊啊！

他一被我抱住，就會臉紅，很好玩吧。
真搞不懂他怎麼會喜歡我這種女生！
哈哈哈！
好差勁的癖好啊！
怎麼這樣說呢…
雪野，我跟妳說哦…
上次我和理香她們，請健史教我們功課，就去了他家…
歡迎妳們來。
哎呀——每位都是可愛的小姐！
我們家健史受妳們照顧了。
話先說在前頭，我們家是很嚴格的。
おじゃましまーす
※打擾了
瞄
得先瞧瞧有錢人家的房子，當做寫作時的參考…
喃喃自語

妳一定就是和健史交往的…
哎呀，爺爺！奶奶！看她多可愛啊！
啊？咦？
我們家健史真幸福啊！以後也請妳多多照顧他啊。
不是啦！跟我交往的是這一個啦！
你們好！
點頭
ぴゅう
※咻咻咻咻~~~
後來健史的媽媽都不跟我說話了，
實在有夠可怕的。
哇哈哈哈！
好像羅剎之家，真有趣啊！
竟然會覺得我家有趣，我真佩服妳…

真秀，
雖然很少和她說話，
但我很欣賞她。
個性成熟，長得又美，
身上總散發著輕爽的味道。
真秀，
妳常常看花，
妳喜歡花嗎？
嗯。
笑
溫暖
？？
她對我微笑了⋯
真秀有個很迷人的成熟男友。
大家都有男朋友⋯

學校裡的偶像，
小翼，
可能是我們之中，
家庭背景最華麗的。
爸爸是著名品牌的設計師，
弟弟是名樂團主唱。
媽媽是護士。
我從以前就很喜歡他爸爸設計的東西。
文化祭的時候…
原來這是妳做的啊…
做得真好。
畢業後到我公司來上班啦。
雖然只是客套話，我還是很高興。
不，我是說真的。

我最自豪的事是…
呀——小翼！
小翼學姐！♡
カッ！！
※生氣！
我今天心情不好啦！
呀啊——
嗚呵呵呵…♡
小翼…♡
從沒被她罵過抓過。
抱緊——
最後是亞彌，我們從小一起長大，是我最好的朋友。
她是學生作家，寫的書很暢銷，非常受歡迎。
好睏…
可是，她這陣子很忙，學校也常請假，我們少有機會在一起，好寂寞哦…
應該替她加油的。

這就是我的朋友們，
每個人都很有特色吧！
最不起眼的是我。
是啊！是啊！
什麼——只有妳會這麼想，
其實妳是我們之中，最受歡迎的！
在那些偷偷暗戀，不敢告白的一般男生心目中，
※大聲說出來
理香是最受歡迎的女生！
我不需要受人矚目。

一直到上高中之前，我過得有些痛苦，
成績在前幾名，大家就以為我很能幹，
那個…委員會的…
總是推我當班級委員或組長。
聽不到啦
哇 臉好紅哦
King Of Leader
現在的學校，很多人都當過幹部，像我這種的，不會被選上。
所以，我現在過得很幸福。
當大家漸漸不注意我以後，我終於可以做真正的自己。
排練舞台劇時，我無意間提起這些事，
原來也有這種想法啊…
這想法蠻好的。
真秀笑了，為什麼呢？

我回來了——
我可以拿東西去給亞彌吃嗎？
妳回來啦，可以啊。

可咚——
卡恰
她有亞彌給的鑰匙。
亞彌——妳還活著嗎？
歡迎妳來。
阿…阿…阿恭！
咯咯咯咯～
好久不見了，理香，我剛剛回來。
亞彌現在好像關在房裡寫作。
怎麼辦？先上來喝個茶吧？
啊…好…
好…

阿恭是亞彌的哥哥，已經在工作了，現在一個人住。
哇啊
嗚哇
嗚哇
小的時候，他常陪我和亞彌玩。
應該說是帶這兩個小孩。
我一直把他當做自己的大哥。
……
但這陣子感覺有點不再單純…
……
拘束——

妳們兩個還是這麼要好，
妳還煮飯給她吃對不對？
所以亞彌老是依賴妳，我擔心她會不會給妳帶來麻煩。
不會，是我自願這麼做的。
我們跳到那棵樹去！
亞彌！
啊！
這是可以在天空飛的斗蓬！
被勾住
我們在院子裡，挖洞做地下室吧！
挖膩了。
呀
後來掉進洞裡，扭傷腳的亞彌。
呼…呼…
…阿恭
最後總是理香哭著找恭一幫忙…
是嗎？妳真是寬宏大量。
回想過去，每次都是亞彌害妳提心吊膽…
回憶

5

好了。小翼&一馬篇也順利結束了。下回起要進入等候已久的雪野＋有馬篇。

大哥哥、大姐姐，上工囉。

雪野 有馬

曾經畫在各處的有馬篇橋段，我都收到檔案裡。有的還畫在廣告頁的背面…接下來是我最想畫的部分，我會努力的。

津田雅美

於是我明白，
我只會照著別人
的安排走，
所以很羨慕亞彌
能心無旁騖地寫作。
我一向沒什麼
非堅持不可的想法，
所以很怕自己一個人
會隨波逐流，
而亞彌總是很清楚
想走的方向，
和她在一起
我可以很放心。
而…而且…
我才不
寬宏大量…
我的心地
其實很狹窄…
是嗎？

國中時，亞彌和小椿變得很要好，
奸計！
亞彌喜歡小椿勝過喜歡我…
她一定覺得我很無趣，無法滿足她的多變想法…
我嫉妒得要死。
現在不會了
哇哈哈哈哈！
為什麼要笑…
嗯——該怎麼說呢…
亞彌和我，就像夫妻一樣吧…
※磅！
來拿飯吃的
妳在胡說八道些什麼啊！

哈哈哈…
要是妳和亞彌成了夫妻，我可是會傷腦筋啊。
咦？
不…啊…
臉紅
……
其實在危急的時候，理香的意志力才強呢。
因為在這世界上，我最怕的人就是理香啊…
啊！
妳說什麼啊！
我在小時候有過一次可怕經歷，
就是妳**殺人未遂**那件事啊。
啊——那個啊！
哈哈哈！
啊～～～可是…那是…

我記得是幼稚園的時候…
理香，妳看到了嗎？
嗯？
啊！是阿恭！
阿恭！
咦？你怎麼了？
呃…
滿臉傷
哈哈哈！
我跌倒了…
有人欺負他！
阿恭一向對人很好，一定是有人看他不順眼！

什麼~~~~~
什麼意思！
我們兩個一定要…
救阿恭才行！
我們去暗中監視，
控制現場情況，
用相機拍起來。
然後叫警察來抓！
←不懂那是什麼意思。
嗯、嗯！
へんそう
啊！
喂，給我過來，四眼田雞！
錢帶來了嗎？
沒帶啦！
一拳

がしゃん
※跳起來
理香！
握住
※噠噠噠噠
ぶん
※用力一揮
!!?

劃過
※噴血！
呀——
阿恭，你沒事吧？
呼
被血噴到
嗯……
嗯……
亞彌，妳怎麼了？
差一點就成了殺人的幼稚園生呢…
哎呀，很丟臉耶，別再說了！
呃……
不過，後來都沒有人敢欺負我了，
哈哈哈…
那次真的多虧有妳。

那時，他也是面露微笑的說…
就算被欺負，就算被年紀比他小的女孩子拯救，他還是笑容滿面，
我覺得阿恭才是最堅強的。
好啦——我再進去奮鬥一回合好了…
再見啦，理香，哥哥，兩位別拘束啊！
……

滴答滴答滴答滴答滴答
啊！要、要不要看電影？
我借了錄影帶回來！
那我…
我去泡茶好了！
我們在幹嘛啊……
かんしょう
（而且是鬼片）
※電影欣賞
什麼時候，我們才能成為男女朋友呢？
阿恭一向害羞…

不過，他就是這樣。
這就是我的世界，
平凡但幸福。
哇——星星好清楚哦！

下次我帶妳上山，讓妳看看無數星星組成的銀河。
真的？
叭
危險！
哇！對不起！
連忙放手
不…
不可以放手！

好！好！
握緊
我竟然說出這種話……
啊……握下去了……

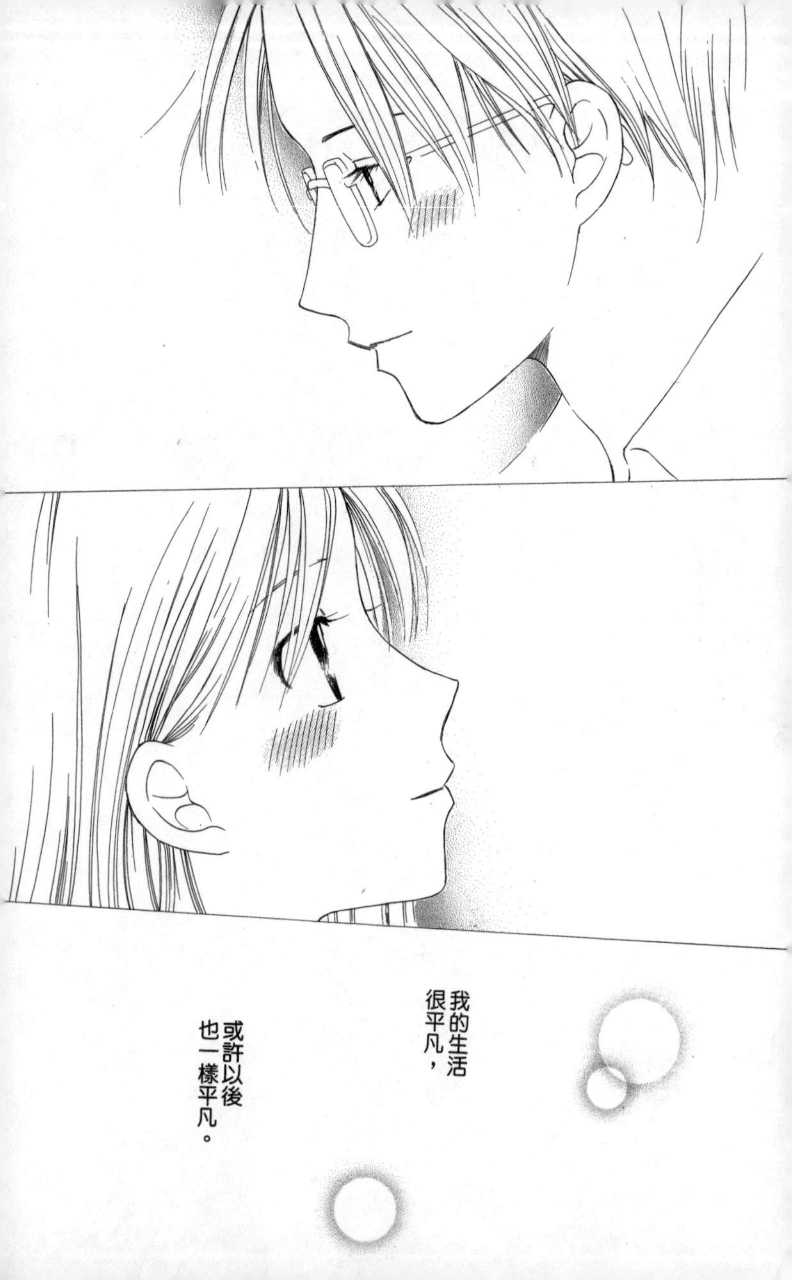
我的生活很平凡，
或許以後也一樣平凡。

不過，
還是有一點點
戲劇性的變化。

做得出如此細緻的手工藝，竟然還說自己是普通人⋯
好厲害
你們認為呢？
ACT58★理加的生活／完

薄禮　新發表極短篇

『阿潮和敦矢』

喂！阿潮你也來吧！
我想把工作做個收尾，你們幾個去就好了。
……
那，鐵罐不要踢了！
阿潮不玩，我也不玩了！
敦矢從以前就是這樣。
阿敦，來玩啦！
不要咧，笨蛋！
沙
沙
沙
你到別處去好嗎？
愛擺架子，
卻老愛跟著我。
這時候的JOKER。
這時候的馬丁。
像冰的眼眸，真令我愛不了……
別隨便摸啦。

阿潮，你要進足球社嗎？
那我也要加入。
以後足球，會開始流行起來！
中學一年級
中鋒的我加上前鋒的敦矢，是黃金組合，無人能敵。
咻！
阿潮，足球真有意思呢⋯
咱們倆朝世界邁進吧！
啊，我想玩音樂呢！
吉他
中學三年級
那我也要！
這年頭⋯
就是要組團呀！
⋯⋯

不用了吧？我們高中不會唸同一所吧！
!!!!
うわあああ
自殺
那我把志願填低一點，你要填高分一點的學校呀！
1 阿潮的程度可以唸的學校。
2
3
4
5
6 敦矢的程度。
約在這裡。
點頭
你哭什麼呀？
阿潮的女朋友。
!!!!!
きっ
你從中學時，還不是跟很多女生交往過。
!?
一驚
這時候的JOKER。
呀…馬丁！
※馬丁大爺！馬丁！馬丁！

…你…
我想搬出去住。
唉，算了。
要是我說要練韻律體操，他一定也會跟著我練。
你到底幾歲啦！
笑而不答
阿潮和敦矢／完

來信地址。

〒101-0063

東京都 千代田区 神田 淡路町
2-2-2

白泉社 月刊ララ 編集部.

津田 雅美 行

照顧我的大爺姑娘們

Editor S. Taneoka

Staff N. Shimizu

R. Ogawa

Y. Etō

R. Takahashi

AND K.U.

HC52612 COP192

男女ㄎㄎ板⑫

原名：彼氏彼女の事情⑫

■作　　者　津田雅美
■譯　　者　蔡夢芳
■執行編輯　林鍾淑枝
■發 行 人　范萬楠
■發 行 所　東立出版社有限公司
■東立網址　http://www.tongli.com.tw
台北市承德路二段81號10樓
☎(02)25587277　FAX(02)25587281
■劃撥帳號　1085042-7（東立出版社有限公司）
■劃撥專線　(02)28100720
■印　　刷　嘉良印刷實業股份有限公司
■裝　　訂　台興印刷裝訂股份有限公司
■法律顧問　曾森雄律師　曲麗華律師
■2002年1月25日第1刷發行
2004年8月20日第3刷發行

日本白泉社正式授權台灣中文版

ISBN 986-11-0173-X　定價：NT80元